D0719107

hond Bij T WOLF

Voor mijn zoon Siem

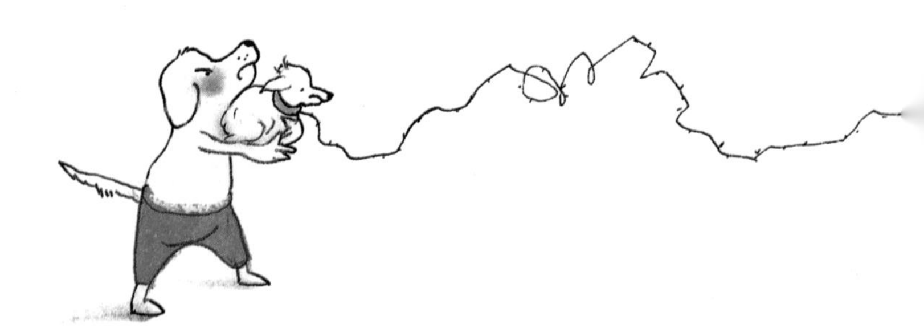

Sylvia Vanden Heede

Hond bijt Wolf

met illustraties van
Marije Tolman

LANNOO

BOOS

Wolf is boos.
Heel boos.
Raar is dat niet.
Wolf is vaak boos.
Dat vindt hij leuk.
Daar is hij een wolf voor.
Wolf gromt en grauwt.
Hij snakt en snauwt.

'Boos! Boos!
O zo boos!
Boe! Ba!
Ha, ha, ha!' brult Wolf.
O, wat heeft hij een lol.

Hond wordt er bang van.
'Kijk uit, Wolf.
Bijt mij niet.
Ik ben je neef.
Denk je daar wel om?'

Hond vindt het maar eng.
Maar Wolf zegt:
'Je weet niet wat je mist, Hond.
Word ook eens boos.
Flink boos!
Word boos met mij.
Dat is zo leuk!

Word boos op je baas.
Word boos op je beer.
Laat je maar gaan.
Bijt es een keer!

Bijt van je af:
Hap! Snak! Snauw!
Bijt, brul, blaf:
Snak! Hap! Grauw!

Gooi voer door het raam.
Gooi voer op de grond.
Niks aan de hand.
Boos is gezond.

Hap naar je baas:
Hap, snak, au!
Gil, grom, raas:
Snak, hap, grauw!

Laat zien wat je wilt.
Laat zien wie je bent:
de neef van Wolf
een echte vent!'

Maar Hond doet het niet.
Hij heeft er geen zin in!
'Ik ben het liefst lief', zegt hij.
'Lief. En tam. En braaf.'

Wolf lacht Hond uit.
Hij spot:
'Wat ben jij een sof, Hond!
Lief? Bah!
Tam? Boe!
Braaf? Ha, ha!

Geef een poot.
Spring op schoot.
Lik een hand, aai je mand.
Eet je voer, blaf dan stoer:
'Dief! Dief! Ik ben lief!
Waf, woef, ik bijt geen boef!'

'O nee, dat nooit!' roept Hond.
'Waar zie jij die boef?
Waar is die dief?
Ik ken mijn taak wel.
En ik doe mijn plicht.
Ik bijt de dief! En wel nu!
Ik bijt hem hard in zijn bil!'

Hond springt uit zijn mand.
Maar er is geen boef.
Er is geen dief.
Het was maar een grap.
Een grap van Wolf!

'Flauw hoor!' roept Hond.
En kijk, nu is hij toch boos.
Boos op Wolf!

BLIJ

Hond gaat naar Wolf.
Hij klopt op de deur.
'Ga weg! Ga weg!' brult Wolf.
'Maar ik ben het!' roept Hond.
'Ik, je neef.
Ben je nog boos?'

'Nou en of!' brult Wolf.
'Woest ben ik!
Zo woest, zo woest!
Zo woest was ik nog nooit.
Pas op of ik doe je wat.
Maak dat je weg komt.
Of nee, wacht!
Blijf hier.
Kom, dan bijt ik je.'

Hond schrikt heel erg.
'Niet doen!' piept hij bang.
'Ik ben je neef.

Weet je nog wel?
Een neef bijt je toch niet!'
'Zwijg!' schreeuwt Wolf.
'Ik bijt wat ik wil.
Neef of geen neef.
Ik ben heel erg boos!
En ik heb nog trek ook.
Dus bijt ik jou.
Ik neem een hap uit je bil!
Ja, dat doe ik.
Dat zal me goed doen.
Want ik bijt zo graag!
Ik ben er dol op.'

Hond blijft staan.
Hij beeft van angst.
Hij vlucht niet eens!
Dat kan hij niet.
De schrik maakt hem lam.
Hij kan geen stap meer doen.

Maar Wolf wel.
Wolf is niet lam!
Hij rent naar Hond.
Kijk eens hoe woest!
Kijk eens hoe wild!
Kijk naar die bek.
Zie je dat kwijl?
Het druipt van zijn tong.
O wee.
Dat loopt slecht af.

‘Wacht!’ roept Hond dan.
‘Wacht, Wolf!’
Hij steekt zijn poot uit.
En Wolf blijft staan.
Hij staart naar Hond.
Hij kwijlt nog steeds!
Het drupt op de grond.
Daar vormt het een plas.

‘Wat wacht?’ gromt Wolf.
‘Wat is er? Zag jij iets?
Kwam er wat?
Staat er een kat voor de deur?’
En hij kijkt om zich heen.

‘Er is niets’, zegt Hond.
‘Niets van wat je noemt.
Ik dacht iets.
Dat was het.
Ik dacht:
Wat sneu voor Wolf.’

‘Sneu?’ vraagt Wolf.
‘Dat snap ik niet, hoor.’
Wolf kijkt dom voor zich uit.
Maar Hond zegt:
‘Nu ben je boos.
Zo boos!’
‘Heel boos’, knikt Wolf.
‘En dat vind je leuk’, zegt Hond.
Weer knikt Wolf.

'Heel leuk', zegt hij.
'Wat is daar dan sneu aan?'

'Och', zucht Hond.
'Nu ben je flink boos.
Maar straks bijt je in mijn bil.
En daar word je blij van!'
'Heel blij!' knikt Wolf.

Hond zucht nog een keer.
Hij zucht:
'Is dat niet erg?
Want wie blij is, kan niet boos zijn.
Echt niet!'

Wolf kijkt sip.
Het is waar wat Hond zegt.
Wie blij is, is niet boos.
En Wolf is graag boos!
'Dan bijt ik maar niet', zucht hij.
'Dank je, Hond.
Je bent mijn neef.

Maar ook een vriend.
Want je gaf mij raad.
En daar ben ik…'
O nee!
Wolf kreunt.
Nu is hij toch blij!
Blij met de raad!
Wat sneu…

BOT

Hond heeft een bot.
Dat kreeg hij van zijn baas.
Hond is blij met het bot.
Heel blij!
Hij ruikt er eens aan.
Hij likt er eens aan.
Hij knaagt er wat aan.
Mmm! Dat smaakt!

Het is een goed bot.
Een heel goed bot!
Maar het is ook erg groot.
Heel erg groot!

Hond ruikt nog eens.
Hij likt nog eens.
Hij knaagt nog eens.
Wat een groot bot!
Hij krijgt het nooit in één keer op!
Maar dat geeft niet.

Want Hond weet er wel raad mee.
Hij pakt het bot in zijn bek.
En dan loopt hij het huis uit!
Waar gaat Hond heen?
Wat is hij van plan?
Raad maar.
Of weet je het al?

Wolf komt ook zijn huis uit.
Dat huis staat op een berg.
Het huis van Hond ligt in het dal.

Wolf steekt zijn neus in de lucht.
Hij snuift heel diep.
En nog eens. En nog eens.
Hij ruikt wind. Gras. Zon en bos.
Ver weg een dorp. Daar komt hij niet.
Hij ruikt rots en grond.
Maar hij ruikt ook…

'Een bot!' roept hij uit.
'Ik ruik wis en waar een bot!
Een groot bot!
Een goed bot!
Dat bot is voor mij.
Ik wil het. Ik zoek het. Ik pak het.
Ik eet het op.'

Wolf denkt niet lang na.
Gauw haalt hij zijn tas.
Daar moet het bot in.
Hij doet de deur dicht en het huis op slot.
Hij likt zijn bek.
En hij snuift nog één keer.

'Een bot voor mij...' kwijlt hij.
Dan draaft hij de berg af.

Waar gaat Wolf heen?
Dat weet hij zelf niet.
Hij volgt zijn neus.
Die wijst hem de weg.
Dwars door het bos.
Recht naar het dal.
Recht naar...
recht naar het huis van Hond!

Kijk uit, Hond!
Pas op!
Pas op je bot!
Je neef komt er aan!

Ach, Hond weet van niets.
Hij staat in de tuin.
Hij heeft een schop.
En hij kijkt eens goed rond.
Hij krabt op zijn kop.

‘Hm...’ zegt hij.
Hond zoekt een plek voor het bot.
Maar dat valt niet mee.
De baas mag de kuil niet zien.
Want hij wil geen kuil in zijn tuin.

‘Graaf ik hier?
Of daar?
Maak ik een kuil naast het pad?
Of bij het hek?
Of naast de boom?
Of toch maar niet?’

Hond wikt en weegt.
Wolf rent de berg af.

Maak voort, Hond!
Schiet op, Hond!
Je neef is er al haast!
Wolf komt er aan.
En hij heeft heel veel trek!

KUIL

Hond is in de tuin.
Hij graaft een kuil.
Dat is hard werk.
Maar Hond vindt het niet erg.
De zon schijnt.
Hond fluit en humt.
Hij heeft er schik in.

Naast Hond ligt het bot.
Daar, in het gras.
Hond kijkt er eens naar.
Het bot is erg groot.
De kuil moet diep zijn, denkt Hond.
Erg diep. Dan kan het bot er in.
Want een bot is fijn.
Maar een bot in een kuil nog meer.

Dan schrikt Hond op.
Daar staat Wolf!
Bij het hek!

Hij heeft een tas bij zich.
De tas is leeg.
Dat kan Hond zien.

'Ha, Hond!' gromt Wolf.
'Is de baas thuis?'
'Ja', jokt Hond gauw.
Want Wolf is bang voor de baas.
En Hond heeft nu geen zin in Wolf.

Wolf loert om zich heen.
Hij ziet geen baas.
Toch durft hij de tuin niet in.
Je weet maar nooit.

'Mooi bot heb je daar', zegt Wolf.
Hij likt zijn bek.
'Grrrr...' zegt Hond zacht.
Daar kan hij niets aan doen.
Dat doet een hond die een bot heeft.

'Ho!' roept Wolf uit.

‘Wat hoor ik daar?
Grom jij?
Grom jij naar mij, je neef?’
Hoe durf je!
Jij moet lief zijn, Hond.
Dat vind jij toch zo leuk?
Je zei het laatst zelf nog:
‘Ik ben het liefst lief.’
Geef dat bot dus maar gauw aan mij.
Dat zou pas echt lief zijn!
Kom, stop dat bot in de tas.
Doe dat voor mij.’

'Nee', zegt Hond ferm.
'Jij krijgt mijn bot niet.
Ik sta het niet af.
Voor geen goud!
Het bot gaat niet in je tas.
Het gaat in de kuil.
En dan gooi ik de kuil dicht!'

'Wat raar en wat stom!' spot Wolf.
'Je bot is toch geen plant!
Of een boom.
Het groeit heus niet.
Ook al stop je het in de grond.'
'Flauw hoor', gromt Hond.
Hij vindt Wolf niet leuk.
Hij wil Wolf kwijt!
Maar hoe dan? Hoe?
Wacht... Hond weet het al!

'O nee!' roept Hond uit.
'Daar hoor ik de baas!
Hij mag de kuil niet zien.

Want dan wordt hij erg boos.
Heel erg boos op mij!
Dan roept hij:
'Wat zie ik daar?
Graaf jij een kuil, Hond?
In mijn perk? In mijn tuin?'
En dan zegt hij ook:
'Foei, Hond! Foei!
Naar je mand, en gauw!'
'De… de… de baas?' schrikt Wolf.
Hij wordt erg bleek!
Want Wolf is bang voor de baas.
Heel bang!

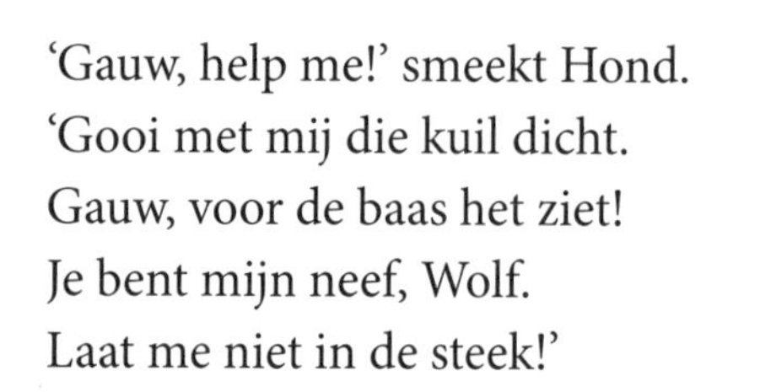

‘Gauw, help me!’ smeekt Hond.
‘Gooi met mij die kuil dicht.
Gauw, voor de baas het ziet!
Je bent mijn neef, Wolf.
Laat me niet in de steek!’

Ach, Wolf hoort het wel.
Maar hij helpt niet!
Want Wolf is bang voor de baas.
En hij is ook erg laf!
Hij laat zijn neef wél in de steek.
Wolf slaat op de vlucht.
Hij rent als een haas de berg op.
Recht naar zijn huis!

‘Ha, ha’, lacht Hond luid.
‘Wat een held is die neef van mij.
Daar ben ik mooi van af.’
En Hond pakt de schop weer.
En hij graaft nog meer.
En hij fluit en hij humt.
Wat heeft hij er lol in!

En de baas dan?
Wordt die niet boos?
Zegt hij niet: ‘Foei, foei’?
Roept hij niet:
‘Naar je mand, Hond!’

Nee hoor.
Want de baas is er niet echt.
Hond zei zo maar wat.
Het was een list!
En Wolf liep er in.
Net goed!

PUP

De kuil is dicht.
Diep in de kuil zit het bot.
Naast de kuil ligt Hond.
Hij waakt.

Wolf is er niet.
Wolf zit in zijn hol:
diep in het bos, hoog op de berg,
ver weg.
Wolf is bang voor de baas.
Dus ging hij op de vlucht.
Ha, ha, wat een bang beest!

De baas is niet thuis.
De baas is op stap in de stad.
Maar dat weet Wolf niet.
Want Hond loog.
Hond zei: 'Daar hoor ik de baas al.'
En het was niet waar.
Het was een list!

Hond ligt in het gras.
Hij kijkt naar de lucht.
Hij denkt aan zijn bot.
Hij denkt aan Wolf.
Hij denkt aan de baas.
En hij zucht eens diep.

Waar blijft de baas toch?
Het duurt zo lang!
Hond mist hem.
Hij wil een aai.
En nog een bot!
Dat zou leuk zijn!

Dan springt Hond op.
Hij hoort de baas!
Hond rent naar het hek.
Zijn staart gaat wild heen en weer.
Hij jankt en hij blaft.
Hij blaft:
'Baas! Baas!
Baas baas baas!'

De baas lacht.
'Ha, Hond!' zegt hij.
'Ik heb wat voor jou.'
O, wat is Hond blij!
Hij springt op en neer.
Hij lijkt wel een bal!
'Een bot!' raadt hij.
'Een kluif! Een hap! Een brok!'
Het kwijl drupt van zijn tong.
Maar de baas zegt:
'Pas op, kijk uit!
Het is klein en teer.
Bijt het niet. Wees lief.'

Hond blaft niet meer.
Zijn staart staat stil.
Hij snapt er niets van.
Moet hij lief zijn?
Lief voor een bot?
Wat gek en wat raar!
Dan zet de baas iets op de grond.

Het is geen bot en geen kluif.
En geen hap en geen brok en geen bak met voer.
Het is...
Het is...
Het is wit met veel haar.
Het heeft een krul in zijn staart.
Zijn neus is zwart en nat.
Het is een hond! Net als Hond!
Maar wat een klein ding!
'Piep', zegt het zacht.
En dan doet het een plas.
Zo op het pad!

'Dit is Pup', zegt de baas.
'Het is een kees van puur ras.
Ik kocht hem voor jou.
Nu heb je een vriend.
Ben je daar niet blij om?'

Hond zegt niets.
Hij kijkt naar Pup. Hij ruikt aan Pup.
Hij voelt een grom in zijn keel.
Maar die slikt hij in.
'Lief zijn, Hond', zegt de baas weer.
'Ja, baas', knikt Hond.
En hij geeft Pup een lik.
Bah! Dat smaakt vies!

Maar Hond doet het nog een keer.
Dan ziet de baas hoe lief hij wel is.
Zo lief!
Er is geen hond zo lief als Hond.

'Braaf, hoor', prijst de baas.
Hij pakt Pup weer op.
En hij loopt het huis in.
'Hee!' roept Hond.
'Wat moet dat? Waar gaat dat heen?'
Hij holt de baas na.
De baas draait zich om.
'Koest, Hond!' zegt hij streng.
'Blaf niet zo hard.
Daar wordt Pup maar bang van.
Hij is nog maar zo klein.
Wees lief, Hond. Toe, wees lief!
Daar maak je mij blij mee.'

'Ja, baas', zegt Hond zacht.
'Ik ben al lief. Heel lief.
Heel heel lief.
Zie je dat niet?'
Zijn staart gaat heen en weer.
En weet je wat de baas dan doet?
Hij geeft Hond een aai.
Wat is dat leuk voor Hond!
Nu is hij net zo blij als de baas.

NACHT

Pup blijft. Hij gaat niet weg.
Ook niet als de dag om is.
'Pup hoort nu bij ons', zegt de baas.
'Wen daar maar aan.'

Pup krijgt een mand, net als Hond.
En een bak met voer, net als Hond.
En hij mag bij de baas op schoot.
Dat vindt Hond niet zo leuk.

Pup kan nog niks.
Hij weet niet wat 'Zit!' is en 'Poot!' en 'Hier!'.
Ach, het is nog echt een uk.
Die mand is hem ook veel te groot.
'Ik kocht de mand op de groei', legt de baas uit.
'Wacht maar af, Hond!
Pup wordt net zo groot als jij.'
Dat vindt Hond ook niet leuk!

De nacht valt.
De baas gaat naar bed.
Hond ook.
En Pup? Waar is Pup?
Pup ligt in zijn mand.
Maar hij slaapt niet.
Hij jankt en keft en kermt.
'Hou toch je kop, jij!' gromt Hond.
'Zo doe ik geen oog dicht.'
Maar Pup jankt nog meer.
'Ik mis mijn ma zo!
Ik ben zo bang in de nacht!
Ik wil naar ons nest!'

Hond heeft de pest in.
Hij wordt flink boos!
'Stil, Pup! Slaap!' blaft hij.

Ach, wat stom van Hond.
Zo wekt hij de baas!
Daar komt de baas al.
Hij is ook flink boos.
Boos op Hond!
'Foei, Hond! Foei!' roept hij.
'Hou toch je kop!
Ik doe geen oog dicht.
En dat is jouw schuld.'

Hond schaamt zich.
Hij kruipt diep weg in zijn mand.
Je ziet zijn neus nog. En zijn beer.
'Het kwam door Pup', zegt Hond zacht.
Zo zacht dat de baas het niet hoort.
Maar dat geeft niet.
Want de baas is al niet meer zo boos.

Hij bromt nog wat.
Hij gaapt en geeuwt.
Hij zegt:
'Nacht Pup. Nacht Hond.'
Dan loopt hij de trap op.
Het licht gaat uit.

Het is stil in huis.
Maar dat duurt niet lang.
Hond hoort Pup weer.
Pup snikt en zucht.

'Wat scheelt er aan?' vraagt Hond.
'Is je mand te hard?
Heb je het te koud of te warm?'

‘Nee, nee…’ grient Pup.
‘Huil je van de dorst?
Heb je pijn in je buik?
Moet je een plas of een hoop?’
‘Nee, nee…’
‘Wat wil je dan?
Een aai? Een lik?
Een bot of een brok?’
‘Nee, nee…’
‘Toe, Pup! Zeg het!
Zeg het, toe!’

Pup slikt en snuft.
Hij zegt:
‘Ik wil… ik wil…
Ik wil bij jou in de mand!’

Hond schrikt.
‘In mijn mand?’ roept hij uit.
‘Ben je mal?
Je hebt toch zelf een mand!
Is die niet goed dan?’

‘Hij is zo groot’, klaagt Pup.
‘En ik ben maar zo klein.
Mag ik er echt niet bij, Hond?
Jij bent zo lief…’

Het klopt wat Pup zegt.
Hond is lief. Heel erg lief.
Dat hoort zo. Dat moet zo.
Daar is hij een hond voor.

‘Goed dan’, zucht Hond.
‘Veel plek heb ik niet.
Maar ik schik wel wat op.
En Beer ook.
Dat doe je toch, Beer?’
Beer vindt het best.

Pup kruipt bij Hond.
Beer schikt wat op.
Hond schikt wat op.

Het is krap. Erg krap.

Maar ook knus. Heel erg knus!
'Nacht Pup, nacht Beer', zegt Hond.
Beer zegt niets.
Hij praat nooit meer.
Hij had een piep in zijn buik.
Maar die is hij kwijt.
Dus zwijgt hij.
En Pup? Pup zwijgt ook.
Pup slaapt al!

Oef. Rust.
Dat werd tijd!

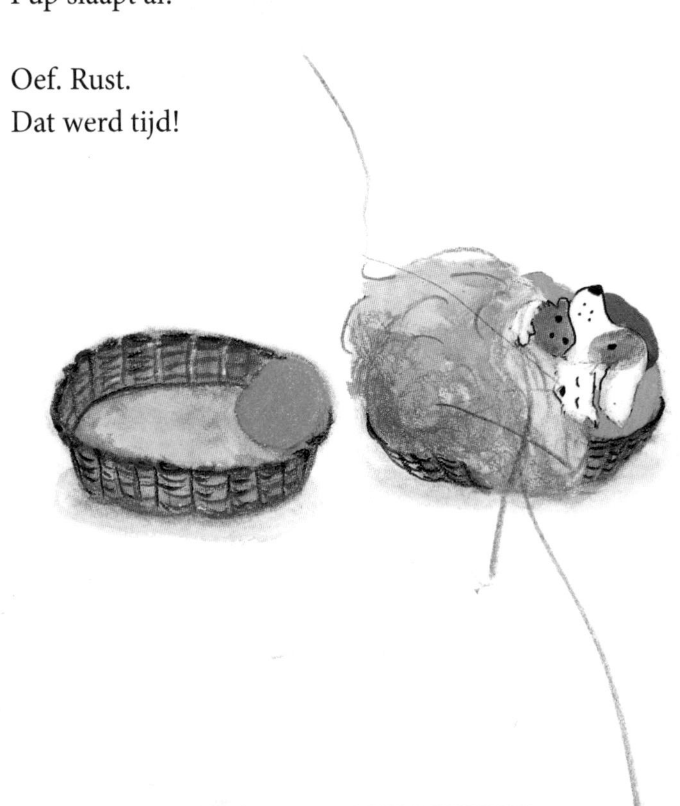

TUIN

Pup en Hond zijn in de tuin.
'Ik heb een bot in een kuil', zegt Hond.
'Maar ik zeg niet waar.'
Dat vindt Pup niet erg.
'Ik zoek zelf wel!' roept hij.
'En ik vind het heus.'

Pup snuift aan het gras.
'Dit is de plek', zegt hij.
'Ik denk dat ik iets ruik.'
'Ha, mis!' lacht Hond.
'Daar ligt het bot niet.'
'Hier dan', raadt Pup.
'Weer mis!' zegt Hond.
'Bij het hek?'
'Nee.'
'Naast het pad?'
'Nee.'
'Ik weet het! Bij de boom!'
Maar daar ligt het bot ook niet.

Pup geeft het niet op.
Hij rent naar hier en daar.
Hij snuift en gromt en graaft.
'Ik vind het wel!' keft hij.
'Ik ben een kees. Van puur ras!
Kijk wat een kees kan!'
O nee! Hij maakt zelf een kuil!
En nog een! En nog veel meer!
'Zo vind ik het bot vast', hijgt hij.

Hond is er niet zo blij mee.
Hij kijkt om zich heen.
O wee als de baas dit ziet!
'Gauw Pup!' zegt Hond.
'Gooi gauw die kuil dicht.
En die daar ook.
Een voor een!
Ik help je wel.
Gauw, schiet op!

Straks komt de baas thuis.
En dan zwaait er wat!'
Pup kijkt sip.
Hij had er net lol in.
En nu is het spel uit.
Hij mokt.
Hij zit in het gras.
Zijn snuit hangt vol zand.
Hij is niet wit meer, maar zwart!
'Ik steek geen poot uit', zegt hij.
'Daar heb ik geen zin in.
En ik ben er te klein voor ook!'
Dat is flauw van Pup.

Hond haalt een schop.
Hij gooit één kuil dicht.
En nog één.
Dat is zwaar werk!
'Ik rust wat uit', hijgt Hond.
Hij legt de schop neer.
Hij wist het zweet weg.
Er komt een veeg op zijn kop.
Nu ziet hij er ook vies uit.
Haast net zo vies als Pup.

'Ik heb dorst', klaagt Pup.
'Drink dan wat', zegt Hond.
'Pak een glas. Tap uit de kraan.
Dat kun je best zelf.'
'O nee!' pruilt Pup.
'Dat kan ik niet.
Dat durf ik niet.
Dat wil ik niet.
Ik ben nog veel te klein!'

Hond zucht hard.

Wat een klier is die Pup!
'Haal een glas voor mij, Hond.
Toe, jij bent zo lief…'

Tja, dat is waar.
Hond is heel lief.
Veel te lief!
Dus haalt hij een glas voor Pup.
Pup drinkt het glas leeg.
Hij morst en knoeit.
Hij spoelt zijn bek.
Hij wast zijn snuit.
Kijk, nu is hij weer wit!

Hond pakt de schop.
Hij gaat weer aan het werk.
Er is nog veel te doen.
Nog wel een kuil of tien.
Wat een klus!
Hij wordt er zo moe van!
En zo vies!

Plots keft Pup:
'De baas is daar!
De baas is daar!'

O nee! Wat nu?
Daar staat Hond!
Met de schop!
Stijf als een hark.
Stom als een beeld.
En zo vies en zo vuil!

Pup rent naar het hek.
Hij springt op naar de baas:
'Baas! Baas!

Wat ben ik blij.
Blij dat jij er bent!'

Is de baas ook blij?
Nee!
De baas is boos.
Heel erg boos.
Boos op Hond!

'Wat zie ik daar?
Graaf jij een kuil, Hond?
In mijn perk? In mijn tuin?'
'Maar...' zegt Hond.
'En wat zie je er uit!
Een en al vuil en zand.
Schaam jij je niet?'
'Maar...' zegt Hond weer.
'Je moet in bad.
Maar eerst naar je mand!
Blijf daar maar een poos.
Dat is je straf.'

Hond zegt niets meer.
Hij sjokt het huis in.
Hij sloft naar zijn mand.
Zijn kop hangt. Zijn staart sleept.
Hij denkt:
'Ik heb mijn bot nog.
Dat is een troost.'
Hond zucht een paar keer.
Pup vindt het bot nooit!
En dat is maar goed ook.
Want Pup is een klier.
Een klier van puur ras!

WOLF

Pup slaapt.
Hij doet een dut.
Hij ligt in de mand van Hond.
Zijn vacht zit in de war.
Hij heeft zijn duim in zijn mond.

Hond ligt er ook bij.
Maar hij is niet moe meer.
Hij is geen uk!
Hond gaapt eens.
Dan staat hij op.

Hond heeft trek in zijn bot.
Hij weet waar het ligt.
Dat schreef hij op een blad:
Links van de boom.
Recht naar het hek.
Tel een, twee, drie, vier, vijf.
Draai een kwart slag.

Stap naar links.
Daar is het.
Er staat ook een kaart bij.
Een kaart van de tuin!
Waar het kruis is, ligt het bot.

Pup mag de kaart niet zien.
Want dan wil Pup het bot zelf!
En dat krijgt hij niet. O nee!

Hond vouwt het blad op.
Hij stopt het in zijn zak.
Stil sluipt hij het huis uit.

Wolf sluipt ook.
Hij sluipt rond het huis van Hond!
Wolf heeft ook zin in een bot.
Hij is bang voor de baas.
Maar de baas is er niet.
Dat zag Wolf door het raam.
Nu ziet hij Hond.
Hond loopt de tuin in!
Gauw kruipt Wolf in een struik.
Hij loert naar Hond.

Hond pakt de schop.
Hij haalt het blad uit zijn zak.
Zacht leest hij:
'Links van de boom.
Recht naar het hek.'
Hond stapt naar de boom.
Hij zoekt de plek waar zijn bot ligt.

'Tel een, twee, drie, vier, vijf.
Draai een kwart slag.
Stap naar links.
Hier is het.'

Wolf snapt er niets van.
'Vijf?' bromt hij.
'Er was toch maar één bot?
Of heb ik het mis?'
Hij telt het na.
Maar dat kan hij niet zo goed.
Hij weet niet wat er na twee komt!
Hij krabt zijn kop.

Vijf is heel veel, denkt hij.
Dat kan vast niet in mijn tas.

Nu staat Hond stil.
Hij stopt het blad weg.
Ha, daar graaft hij een kuil!
Zo gaat het goed.
Wolf likt vast zijn bek.
Zijn maag knort.
Mijn maag gromt net zo hard als ik, denkt Wolf.
Straks hoort Hond ons nog!
Ach, het duurt Wolf veel te lang!
Hij houdt het niet meer uit!
'Maak voort, Hond!' brult Wolf dan.
'Schiet op met die schop!'

De schop valt op de grond.
'Wolf!' roept Hond uit.
'Wat doe jij hier?
Wacht, ik weet het al.
Jij komt voor mijn bot.

Maar dat krijg je niet.
Of wat dacht je?'
En hij gromt.

'Ho, kalm, neef!' lacht Wolf.
Hij komt uit de struik.
'Ik ben jouw gast.
Ik eet met je mee.
Stuur me niet weg.
Dat zou niet lief zijn.
En als jij niet lief bent...
dan word ik boos.
Erg boos!
Daar ben ik een wolf voor.
Ik heb heel veel trek.
En mijn maag nog meer.
Hoor hoe ze brult!
Ik kan er heus niets aan doen.
Ik ben wel je neef, maar ik bijt jou toch!'

Hond slikt.
Hij wil zijn bot niet kwijt.

Maar Wolf is zo wild en zo woest!
Daar wint hij nooit van.
'Graaf maar flink door', zegt Wolf.
'Ik wacht wel een tel of wat.
Je tijd gaat nu in. Start!'

Hond heeft geen keus.
Hij pakt de schop weer.
Was de baas er nu maar!
Dan ging Wolf wel op de loop.
Maar dan zag de baas de kuil.
En dan werd de baas boos!
En dan moest hij weer naar zijn mand!

Hond zucht.
Het is hard een hond te zijn.
En een wolf als neef valt ook niet mee!

GRAAF!

‘Ben je haast klaar?’ zeurt Wolf.
Hond hijgt.
Hij schudt zijn kop.
‘Het bot zit erg diep.
Dat duurt nog wel een poos.
Het is hard werk, hoor.’
‘Daar heb ik lak aan!’ briest Wolf.
‘Ik wil een bot en ik wil het nu!
Het duurt me veel te lang.
Ik ben het zat!’

Ik ben het ook zat, denkt Hond.
Wolf doet zijn zin maar.
En ik? Ik blijf lief.
Dat moet maar eens uit zijn.
Op een dag neem ik wraak.
Neef of geen neef.
Wacht maar, Wolf.
Mijn tijd komt nog wel.
Maar dat zegt Hond niet.

Nu nog niet.
Hij zwijgt. Hij graaft.

'Tok!' zegt de schop.
De schop stoot op het bot.
'Ha!' lacht Wolf.
'Wat hoor ik daar?
Laat me door, Hond!
Laat mij er bij!'

Hond klimt uit de kuil.
Wolf duwt hem weg.
En hij springt er zelf in.
Hij pakt het bot beet.
Hij wrikt het uit de grond.
Het is vies en zit vol zand.
Maar dat geeft niet.
Een bot is fijn.
Maar een vies bot met zand nog meer!

Wolf ruikt aan het bot.
Hij likt aan het bot.

Hij knaagt aan het bot.
Mmm! Dat smaakt!

Ik gooi de kuil dicht, denkt Hond.
Ik gooi de kuil dicht met Wolf er in…
Hij pakt de schop al.
Maar hij doet het toch niet.
Wolf is en blijft zijn neef.
Wat dacht je!
Hond is geen wild beest als Wolf.

'Krak!' zegt het bot.
Wolf beet het in twee.
Eén stuk is groot.
Eén stuk is klein.
'Geef mij mijn deel', eist Hond.
'Ik deed al het werk.
Ik heb er recht op.'

Wolf lacht Hond uit.
'Jouw deel?
Dat krijg je straks wel.

Graaf eerst de rest op!'
Hond schudt zijn kop.
'Ik snap jou niet, Wolf.
Er is geen rest meer.
Dit bot is al wat ik heb.'
'Je liegt!' snauwt Wolf.
'Dacht je echt dat ik zo stom was?
Ik lag op de loer.
Jij zei: een, twee en nog meer.
Hou me dus niet voor de gek.
Graaf, zeg ik. Graaf!'
Hond tilt de schop op.
Ik sla hem op zijn kop, denkt Hond.
Knal op zijn kop, net goed.
Ben ik mooi van hem af.
Maar dat doet hij niet. Wat dacht je!
Hij steekt zijn poot naar Wolf uit.
'Geef mij de helft', smeekt hij.
'Het bot is toch te groot voor één.'
'Te groot voor één hond?
Dat zal best.
Te groot voor een wolf?

Nee, hoor!' grijnst Wolf.
En weet je wat hij doet?
KRAK! HAP! SMAK! SLIK!
Het bot is op!
Het is weg!

Hond huilt.
Hij zit aan de rand van de kuil.
Hij jankt en snikt.
'Mijn bot, mijn bot!' schreit hij.
'Wat stel jij je weer aan!' brult Wolf boos.
'Graaf toch nog een bot op!
Dan krijg je ook een stuk, ik zweer het.
Kom op! Graaf!
Ik zie daar al een kuil en daar en daar…
De tuin ligt er vol mee!'

Hond snuit zijn neus.
Hij veegt een traan weg.
Hij kijkt om zich heen.
Er zit een kuil in het perk en een kuil in het gras.
Een kuil naast het pad en een kuil bij de boom.

Waar je maar kijkt, zie je een kuil.
'Dat deed Pup!' roept Hond uit.
'En ik kreeg er straf voor.
Ach, houdt het dan nooit op?
Keer op keer heb ik pech.
Ik ben het zo zat en zo beu...'
En hij huilt weer.

'Pup?' vraagt Wolf.
'Wie of wat is Pup?'
Hond snift.
'Pup slaapt in mijn mand.
Pup zit bij de baas op schoot.
Op Pup is de baas nooit boos.
Het is echt een klier.
Van puur ras, dat wel.
O kijk, daar heb je hem al.
Hij komt er net aan...'

RUIL

Pup rent de tuin in.
'Hoi Hond!' keft hij blij.
Dan ziet hij Wolf.
Daar schrikt hij van.
Bang blijft hij staan.

'Ha, ha, ha!' lacht Wolf luid.
'Is dat nu die klier, Hond?
Het lijkt wel een knot wol.
Geef hem aan mij.
Dan brei ik er een trui van.
Ha, ha, ha!'

Pup vindt het niet leuk.
'Ik ben een kees', zegt hij ferm.
'Ik word zo groot als Hond, wacht maar!
Dan zul je eens wat zien.'
'Zo groot als Hond? Ha, ha!
Hond is maar klein, hoor.
Dat stelt niks voor.

Nee, neem mij dan.
Ik ben groot.
Ik ben stoer.
Ik ben sterk.
Ik ben wild en Hond is tam.
Hond heeft een baas.
Ik niet.
Ik doe wat ik wil.'

Daar wordt Pup stil van.
Hij kijkt op naar Wolf.
Zo groot! Zo grijs!
Zo woest! Zo wild!
'Ik ben zelf de baas', snoeft Wolf.
'De baas in mijn huis.
De baas in mijn bos.
De baas op heel mijn berg!'
'Ik ben ook de baas!' blaft Hond gauw.
'Ik ben de baas als de baas er niet is.
Ik waak.
Dat is mijn taak.
Lees dat bord op de deur maar.
Daar staat:

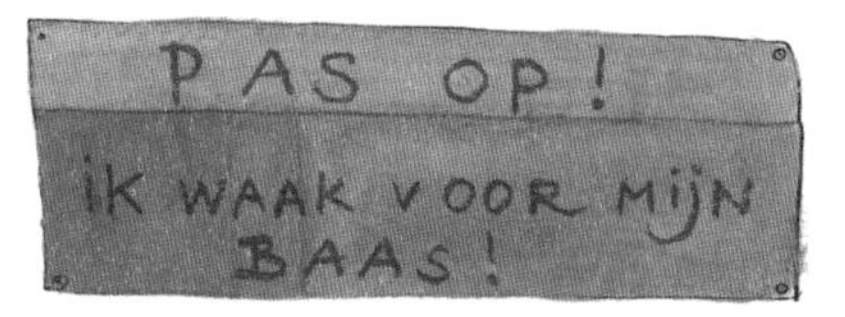

'Ha, ha, ha!' lacht Wolf weer.
'Er moet staan:

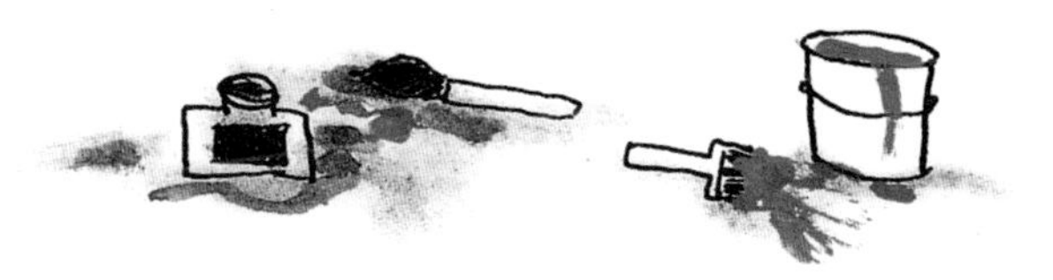

Ha, ha, ha!'

En hij spot:

Pas op de pup, Hond, hup Hond, hup Hond!
Heb het maar druk Hond, druk Hond
Druk met de uk, Hond, uk Hond
Pas op de pup, Hond, hup hup!

Nu is de maat vol.

Hond wordt flink boos.

Hij roept:

'Pas jij maar zelf op, Wolf!

Pas op of…'

Maar hij maakt zijn zin niet af.

Want er valt hem iets in!

Hij heeft een slim plan!

Dat hij daar nu pas aan denkt!

Plots is hij niet boos meer.

'Pas op', lacht Hond.

'Ja, Wolf. Pas jij maar eens op.

Pas op Pup.

Een dag en een nacht.
Of nog een dag als je wilt.
Of een week of… of een maand!
Dan zorg ik dat jij in ruil een bot krijgt.
Of een stuk worst.
Of een lap vlees.
Of wil je graag een krop sla?'
Maar dat is een grap.
Want Wolf lust geen sla.

Wolf denkt na.
Hij krabt op zijn kop.
Hij pulkt in zijn oor.
Hij wrijft aan zijn neus.
'Hmm… worst', kwijlt hij.
'Worst én vlees én spek.
Doe mij ook maar een ham.
Niet te zout, want daar krijg ik maar dorst van.
En een kluif toe.
Hmm…
Ja, daar wil ik het wel voor doen.

Het is een ruil.
Poot er op!'
Wolf spuugt in zijn klauw.
Hond spuugt in de klauw van Wolf.
Pup spuugt op de grond.
'Kom mee, Pup', zegt Wolf.
Zijn stem klinkt zoet en lief.
'Kom mee met oom Wolf.
Kruip maar in mijn tas hier.
Daar pas je net in.'

Pup durft niet goed.
Maar hij doet het toch.
Want hij wil stoer zijn.
En groot. En sterk.
En wild als Wolf.
Hij wil de baas zijn!
Hij kruipt in de tas.
Het is krap.
Zijn kop steekt er nog uit.

Pup zwaait naar Hond.
'Da-ag!' keft hij flink.
'Geef je Beer een kus van mij?
En geef je een poot aan de baas?'

Hond zwaait ook.
Maar hij lacht niet.
Hij wil zo graag blij zijn!
Want hij is Pup kwijt.
En hij is Wolf kwijt.
Dat is toch fijn?
Toch voelt Hond zich naar.
Stom, hoor!
Het is ook nooit goed.

KLIER

Wolf is in zijn hol.
Hij tilt Pup uit de tas.
'Zo zo', zegt hij.
'Dus jij bent een klier.
Een klier van puur ras nog wel.
Jij kost vast een bom geld.'

Pup lacht.
'O nee, oom Wolf!
Dat heb je mis.
Ik ben geen klier.
Ik ben een kees.
En ook nog maar een pup.
Zo heet ik en dat ben ik.
Maar ik groei hard.
Ik word nog zo groot als jij.'

Pup springt bij Wolf op schoot.
En hij geeft Wolf een lik!

Maar dat moet hij niet doen.
Want Wolf vindt een lik echt niet leuk!
Ruw duwt hij Pup van zich af.
Ach, daar valt Pup op de grond.
Op zijn bips!
Pijn dat het doet!
Pup jankt luid.

'Wat grien jij nou?' snauwt Wolf.
'Word jij een wolf of niet?
Dat wil je toch wel?
Of blijf je graag een hond?
Ga dan mijn huis uit!
Kruip maar weer naar je baas.
Rol je maar op in je mand.
Zuig op je duim.
Slaap braaf met een beer.
Eet brok uit blik.
Loop lief aan de lijn!
Bah, tam en slap!
Lam noem ik dat.'

Pup huilt al niet meer.
Hij snikt nog wat na.
Hij wil niet lam en slap zijn.
Hij is stoer en flink!

'Zo mag ik het zien', zegt Wolf.
'En nu aan het werk.
Je moet wat doen voor de kost.
Maak een maal voor mij klaar.'
'Een... een maal?' vraagt Pup.
Wolf knikt.
'Je hoort het goed.
Een maal.
Hup, maak voort.
Ik heb trek.
Heel veel trek!'

Pup kijkt in de kast.
Hij zoekt een zak met voer.
Of een blik met rund.
Of dit of dat.
Maar de kast is leeg.
En op die plank daar?
Die is wel erg hoog.
Pup haalt een kruk.
Daar klimt hij op.
Zo kan hij er net bij.
Maar op de plank is ook niets.
Geen brood of kaas of pap of melk.
Geen bot en geen kluif.
Geen koek en geen brok.

'Oom Wolf, er is geen voer.'
'Voer?' brult Wolf.
'Vroeg ik voer?
Een maal wil ik!
Een maal van rauw vlees!
Veel vlees, vers van het mes!

En met de knook er nog aan.
Ga op jacht, klier, en gauw!'

O nee, nu huilt Pup toch weer!
'Ik… ik ben een kees.
En nog klein ook.
Ik jaag niet.
Dat kan ik niet.
Ik weet niet hoe dat moet.'
'Bah!' roept Wolf uit.
'Aan jou heb ik ook niks!
Weet je wat?
Ik eet *jou* op.'

Pup gilt het uit van angst.
Plots wil hij geen wolf meer zijn.
Hij wil naar huis, nu!
Hij jankt en huilt en krijst.
'Je bent echt een klier!' gromt Wolf boos.
'Een traan-klier!
Dat smaakt vast erg vies.
Nee, nee, ik eet je toch niet op.
Dat zou ook maar stom zijn.
Want mijn trek is zo groot.
En jij bent zo klein.
Hap, slik, weg.
En als jij weg bent…
… dan gaat de ruil met Hond niet door.'

Wolf denkt na.
Hij wil vlees.
Veel vers vlees.
Dus moet Pup op jacht.
Want Wolf is er zelf te lui voor.
'Ik speel het wel klaar', denkt Wolf.
'Ik krijg hem wel zo ver.

Maar hoe? Hoe?'
En plots weet Wolf het!

Wolf grijnst vals.
Hij bukt naar Pup.
Pup is zo bang!
Bang voor de muil van Wolf.
Die is zo groot! Zo wijd! Zo diep!
'Kat...' zegt Wolf traag en hees.
'Ken je Kat?'
Pup schudt bang van nee.
'Ik ken Kat wel.
Ik ken Kat heel goed', zegt Wolf.
'En als jij niet doet wat ik zeg...'
Hij wacht wat.
Hij grijnst nog meer.
'Dan komt Kat en die pakt je!'

SPIJT

Hond is thuis.
Hij ligt lui in de stoel van de baas.
Hij heeft de krant op schoot.
Naast hem staat een bord met kaas.
Er staat ook een fles wijn.
Hond doet de kurk van de fles.
Hij schenkt zich een goed glas in.
Daar nipt hij van.

Ach, wat een rust!
Pup is weg.
Wolf is weg.
En de baas is er ook niet.

'Straks neem ik een bad', denkt Hond.
'Een bad met heel veel schuim.
Na het bad maak ik de haard aan.
Dan lees ik knus bij het vuur.
Als de krant uit is, pak ik een boek.
Als mijn glas leeg is, giet ik het vol.

Als de kaas op is, eet ik worst.
En dan val ik bij het vuur in slaap.'

Hond neemt nog een slok.
Wat raar!
Het smaakt hem niet!
Hij kijkt naar de kaas.
Daar heeft hij ook geen trek meer in!
De stoel zit niet echt goed
en de krant is maar saai.

Hond snapt er niets van.
Hij voelt zich niet blij.

Hoe kan dat nu?
Wat is er mis?

Ja, wat is er mis?
Dat vraagt Hond zich ook af.
Wat mis ik?
Ik heb al wat ik wil.
Wijn. En kaas.
Straks een bad.
Vuur in de haard.
Hond telt het op.
Het is een poot vol.
Hij krabt op zijn kop.
Wat mis ik dan?
Of nee…
Niet *wat.* Het is *wie.*
Wie mis ik?
Pup toch niet, die klier?

Maar toch is het waar.
Hond mist Pup.
Hij is niet blij met de rust en de wijn

en de kaas en het bad en de haard.
Want al heeft Hond al wat hij wil…
Hij heeft nog meer:
hij heeft ook spijt!
Met spijt kun je niet blij zijn.
Dat gaat echt niet.

Hond gooit de krant van zich af.
Hij springt uit de stoel.
De fles valt om.
De wijn maakt een vlek op de vloer.
Foei Hond!
Als de baas dat ziet…!

Maar Hond heeft geen tijd voor de baas.
Hond wil weg!
Hij wil naar Wolf, en wel nu!
Hij trekt zijn jas aan en zet zijn pet op.
Dan rent hij de deur uit.

Hond rent naar het hek.
Hij rent op de weg.

Hij rent de berg op.
Hij rent zo snel hij kan.

Hond hijgt.
Wat een klim was dat!
Zijn tong hangt uit zijn bek.
Hij voelt een steek in zijn zij.
Maar daar let hij niet op.
Daar is de rand van het bos al.
Nu is het niet ver meer.
Nog een klein eind.

Hond stapt door het bos.
Het is er kil.
Er is geen zon.
Er groeit geen bloem.
Het is een eng bos.
Eng en naar.
Daar houdt Wolf van.
Maar Hond niet.
Hij denkt aan Pup.
Pup vindt dit bos vast ook niet fijn.

Hond rilt.
Nu heeft hij nog meer spijt.
Hij stapt vlug door.

Na een poos ziet Hond het huis van Wolf.
Er brandt geen licht.
'Wolf! Wolf! Ik ben het!
Hond, je neef', roept Hond al van ver.
'De ruil gaat niet door!
Ik wil het niet meer!
Ik pas zelf wel op Pup!'
Maar het blijft stil.
Zou Wolf niet thuis zijn?
En Pup dan?
Waar is Pup?

Hond holt naar het huis.
Hij duwt lang op de bel.
Hij bonst hard op de deur.
'Wolf! Pup!
Ik ben het, Hond!'
Ach, dat heeft echt geen zin.

De deur blijft dicht.
Geen Wolf of Pup te zien.

Hond zit op de stoep.
Hij denkt na.
Ik vind hen wel, denkt Hond.
Ik spoor hen op.
Ik ruik wel waar ze heen zijn.
Dat kan ik goed.
Daar ben ik een hond voor.
Hond drukt zijn neus op de grond.
Hij snuift diep.
Hij ruikt Wolf en hij ruikt Pup.
De geur is nog vers.
'Ze zijn pas weg', zegt Hond zacht.
'Die kant op.
Het kan niet ver zijn.'

Hond snuift nog één keer.
Dan loopt hij het pad af.
Diep het bos in…

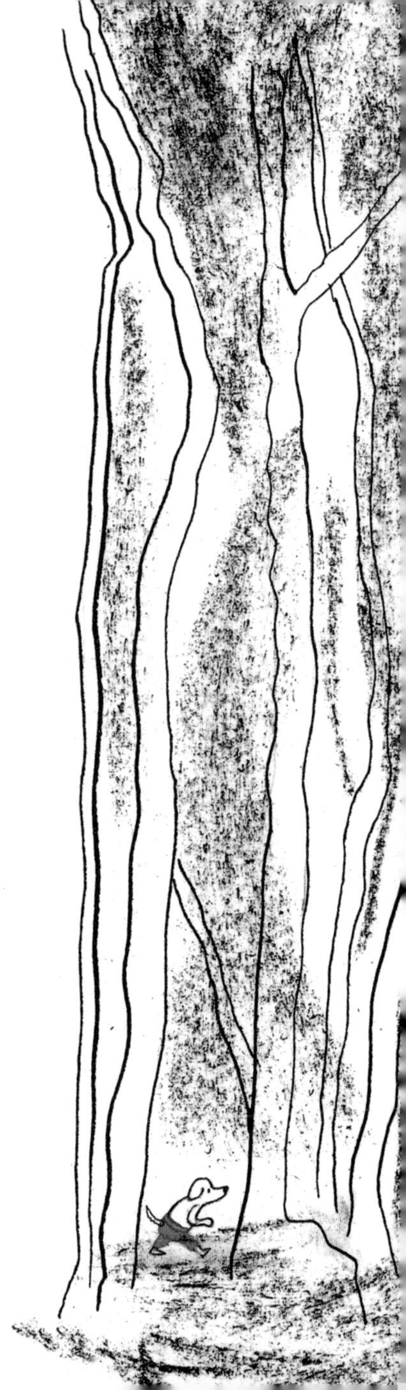

JACHT

Pup en Wolf zijn in het bos.
'Stil!' sist Wolf. 'Stil Pup!'
Hij loert bang om zich heen.
'Stil, dat je Kat niet lokt!
Kat is eng, heel erg eng.
Ze heeft een blik als vuur.
Ze krijst en blaast.
Ze haakt een klauw in je lip.
Die scheurt ze!
En een klauw in je oor.
Dat scheurt ze ook!
En kijk uit voor je oog...
Als Kat daar haar klauw in slaat...
Dan ben je blind!'

Pup is ook bang.
Pup is bang voor Wolf!
Hij wil weg, maar dat kan niet.
Want Pup zit vast aan een lijn.
En Wolf houdt de lijn goed vast.

‘Zo hoort dat’, zegt hij.
‘Jij bent de hond en ik ben de baas.
Ik laat je wel los als we een prooi zien.
Ruik je al wat?’

Pup schudt zijn kop.
Hij trekt aan de band om zijn hals.
Die zit veel te strak!
‘Ik… stik…’ kucht hij schor.
Wolf rukt hard aan de lijn.
Daar valt Pup van om!

'Hoor eens, klier', gromt Wolf.
'Ik heb je wel door, hoor.
Jij denkt vast:
Oom Wolf wil mij geen pijn doen.
Hij maakt die band wel los.
En dan ren jij snel naar huis!
Maar je hebt het mis, Pup.
Of je pijn hebt of niet maakt mij niks uit.
Ik wurg je als het moet.
Ik ben en blijf een wolf, weet je.
Al is Hond mijn neef, ik lijk niet op hem.
Ik ben lang niet zo lief.
Lief, bah!
Daar kots ik op.'

Pup grient.
Daar kan hij niets aan doen.
Hij mist Hond en de baas.
Hij mist Beer en de mand.
Hij is zo moe en hij heeft het zo koud!
'Jank niet, klier.
Veeg je snot weg.

Duw je neus op de grond en snuif.
Zoek een spoor!
Vind je geen hert, zoek dan een haas.
Vind je geen haas, pak dan een muis.
Als het maar niet niks is!
Want ik heb trek, klier.
Heel veel trek!'
En dan zingt hij zacht, dat Kat het niet hoort:

Zoek een dier en vang het.
Bijt het dood en maak het af.
Proef het bloed en drink het.
Wie dat niet kan, is laf.

Pup trekt een snuit.
'Dat klonk vals', zegt hij heel stil.
Maar Wolf hoort het toch.
'Ik ben zelf vals', grijnst hij.
'Daar komt het door.
Maar dat geeft niet.
Ik hou van vals.
En ik hou ook van rijm.

Wat vond je van het rijm, Pup?
Goed, hè?
Wacht, ik weet nog wat...'

Jij daar, kom hier
jij klier, klein dier
van staart tot kop
vreet ik je op
met huid en haar
hap, slik, klaar.

'Dat zeg ik aan Hond!' roept Pup luid.
'En die bijt jou.
Let maar eens op.
Hond redt me wel.
Hij is een held!'

Wolf schiet in de lach.
Hij laat de lijn los.
Hij grijpt naar zijn buik.
En hij rolt op de grond.

‘Ha, ha, ha!
Hond een held?
Wat een mop!
Ha, ha, ik kom niet meer bij!
Hond is een sul.
Een mak lam.
Een vod. Een dweil.
Ik grom en Hond vliegt al.
Ik grauw en hij doet het in zijn broek!
Hond een held?
Ha, ha, ha!
Die held doet al wat ik zeg!’

'Dat dacht je maar!' hoort Wolf dan.
'Hond!' roept Pup blij.
En hij rent naar Hond toe.
Dat kan, want hij is los!

'Ha, Hond!' grijnst Wolf vals.
'Ben je daar?
Dat werd tijd!
Ik was die klier zo zat.
Hier heb je hem weer.
Pas er zelf maar op.
Maar eerst mijn loon.
Waar is de knook en de lap vlees?
Waar blijft mijn worst en mijn spek?
Geef me de ham en al wat ik lust!
Ik heb trek, Hond.
Heel veel trek...'

Wolf trekt zijn lip op.
Hij gromt.
Hij zet een stap naar Hond toe...

HAP!

'Grrr…' zegt Hond zacht.
Hij trekt ook zijn lip op.
Pup kruipt gauw weg.
Hij schuilt bij Hond.
Hij grijpt zich vast aan zijn staart.

'Grom jij, Hond?' vraagt Wolf.
'Grom jij naar mij, je neef?
Hoe durf je!
Dat is niet lief van jou.
En jij wilt toch lief zijn?
Of niet soms?'
'Lief, niet laf', gromt Hond.
'En zacht, maar niet slap.'
'Kijk eens aan', spot Wolf.
'Wat doen we stoer!
Trap er niet in, Pup.
Ik ken mijn neef wel.
Nu gromt hij.
Straks jankt hij.

Straks likt hij mijn kont!'

Wolf lacht hard.
En Hond krijgt een kop als vuur.
O, wat wordt hij nu boos!
'Dat ging te ver, Wolf!
Kijk uit wat je zegt, of...'
'Of wat?' grijnst Wolf.
'Roep je dan je baas?
Die hoort je niet!
Je zit diep in het bos.
Mijn bos. Op *mijn* berg.
Hier ben *ik* de baas.
Roep maar zo hard je kunt.
Het helpt niets.'
En hij doet nog een stap...
'Ik wil mijn loon, en wel nu!'

'Kat is er ook nog', zegt Hond vlug.
Wolf schrikt.
Hij staat stil.

Hij kijkt gauw om zich heen.
'Kat? Zag je Kat? Waar dan?'
'Kat is eng', piept Pup.
En hij kijkt ook om zich heen.
Hij klampt zich goed vast aan Hond.
Hij beeft als een riet!

'Je was niet goed voor Pup', zegt Hond boos.
'Dus krijg je ook je loon niet.
Ga naar huis, Wolf.
Laat Pup met rust.'
'En de ruil dan?' brult Wolf.
'Die gaat niet door.
Ik heb er spijt van', zegt Hond.

Wolf loert naar Pup.
Hij heeft nog steeds trek.
Zijn buik doet pijn.
Het is de schuld van Hond, denkt Wolf.
Hij bracht niets voor me mee.
Niet eens het vel van een worst!
En het is ook de schuld van Pup.

Hij deugt niet voor de jacht.
Dan moet hij zelf maar in de pot!
En hij likt vast zijn bek…

‘Het spijt mij ook’, liegt Wolf.
‘Ik was slecht, maar nu niet meer.
Heus, ik meen wat ik zeg.
Ik wil lief zijn voor Pup.
Toe Pup, geef oom Wolf een poot.’
En Wolf steekt zijn klauw naar Pup uit.

Hond weet niet wat Wolf denkt.
Maar hij ziet wel hoe Wolf kijkt!
Hij ziet de grijns van Wolf.
Hij ziet de tong van Wolf.
Hij ziet de klauw van Wolf.
Die is groot en ruig.
De poot van Pup is maar klein.
‘Niet doen, Pup!’ roept Hond nog.
Maar het is al te laat.
Wolf heeft Pup beet!

‘En nu is het uit!’ gilt Hond.
‘Al ben je mijn neef, ik bijt je!
Ik bijt zo hard als ik kan!’

HAP!

Hond bijt Wolf zijn poot.
Wolf laat Pup los.
Pup valt met een bons op de grond.
Wolf brult en krijst.
'Mijn poot! Mijn pols!
Bloed! Een wond!
Ik ga dood! O, ik ga dood!
Help mij! Hond is dol!'

Wolf danst van de pijn.
Hond stikt van de lach.
Pup springt op en neer.
Hij gilt:
'Vang hem, Hond!
Bijt in zijn lip en in zijn oor!
Ruk hem een oog uit!
Vil hem en maak hem af!'

Maar dat doet Hond niet.
Wat dacht je!
Hond blaft:
'Je boft maar, Wolf.
Je boft dat je mijn neef bent.
Want ik haal de baas niet.
Ik zeg niet:
Op de berg woont een wolf.
Ik zeg niet:
Zet een val, of: Schiet hem neer.
Scheer je weg, Wolf.
En laat je nooit meer zien.
Dan hou ik mijn mond.'

Wolf jankt nog wat.
Hij likt zijn poot.
Hij likt zijn pols.
Hij snikt wat na.
'Dank je wel, Hond', zegt hij zacht.
Dan druipt hij af...

'Blijft Wolf echt weg?' vraagt Pup.
Hond zucht eens.
Hij kijkt Wolf na.
Daar gaat zijn neef.
Ziet hij hem nooit meer weer?
'Wie weet...' zegt Hond.
'Kom, wij gaan naar huis.
De baas wacht op ons!'

WOLF

UIT

Het is diep in de nacht.
Hond ligt in zijn mand.
Pup is er niet bij.
Die heeft zelf een mand.
Want hij groeit hard.
Straks is hij zo groot als Hond!

Beer is er ook niet.
Want die ligt bij Pup.
Dat mocht van Hond.
Nu heeft Hond wel erg veel plaats.
Het went vast.
Hond zucht en draait zich om.

'Hond?' vraagt Pup.
Hond bromt wat.
'Slaap je al, Hond?'
Hond zucht nog een keer.
'Wat is er, Pup?
Mis je je ma?

Ben je bang in de nacht?
Moet je een drol of een plas?'
Maar dat is het niet.
'Ik ben niet moe', zegt Pup.
'Ik denk aan het bos op de berg.
Daar wil ik nooit meer heen.
Want Wolf is een eng beest!'

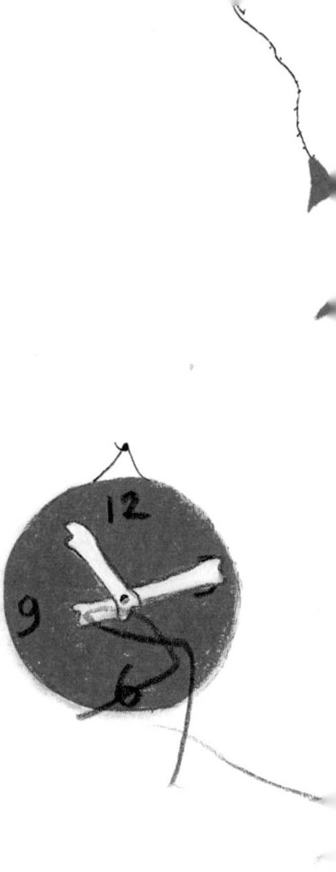

Hond draait zich op zijn zij.
Zo ziet hij de klok.
Het is al erg laat.
'Wolf is mijn neef', zegt hij.
'En ik ben de neef van Wolf.
Dat is raar, want Wolf is wild.
En ik ben tam...'

Pup gaapt.
Valt hij in slaap?
Nee, hoor!
Pup slaapt nog lang niet.
En hij wil dat Hond praat.
Dus zegt Hond nog meer.

En nog meer en nog meer.
Hij zegt dat hij een vlo kreeg van Wolf.
En dat hij zelf een held was, maar niet in de krant kwam.
Hij zegt dat Wolf griep kreeg.
En dat er een feest was met het Volk van Knaag.
En dat Kat dacht dat Beer een muis was.

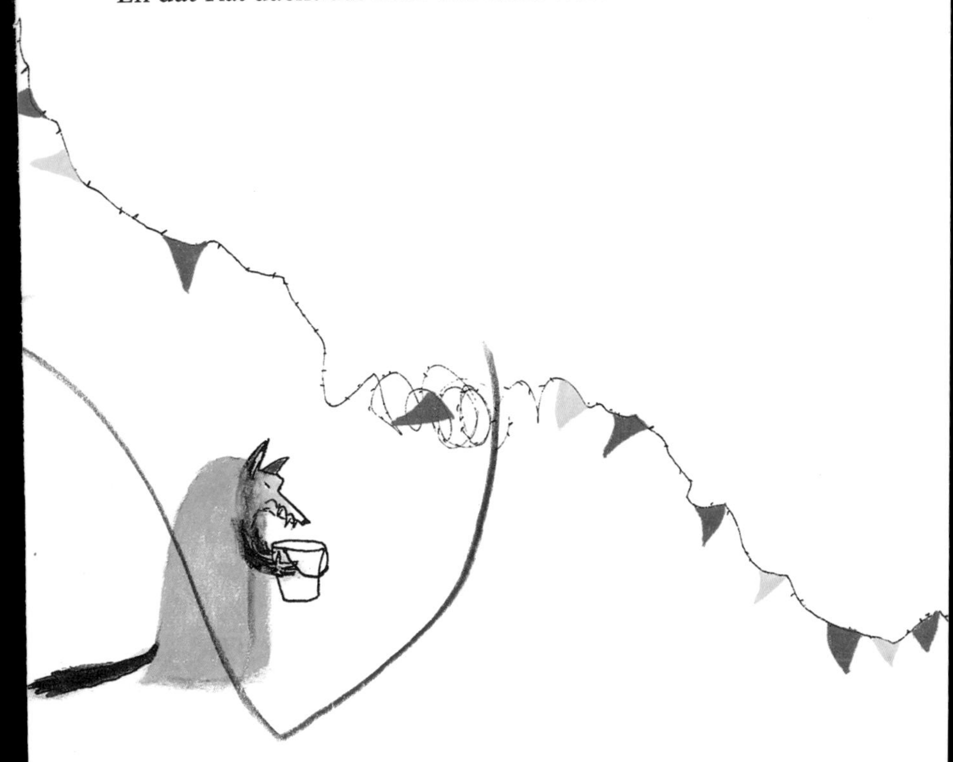

Af en toe vraagt Hond:
'Slaap je al, Pup?'
En nooit zegt Pup: 'Ja.'
Dus praat Hond maar door.
Zijn stem wordt er schor van.
Zijn keel is droog.

Hond kruipt zijn mand uit.
'Mijn fles met sterk spul…' zegt hij zacht.
Ha, daar heeft hij hem al.
Hond schroeft de dop los.
Hij neemt een slok of drie.
En dan praat hij nog meer…

'Nu is het echt uit', gaapt Hond na een poos.
'Ik zei al wat er is.
Kijk Pup, het wordt al dag…'

Hoort Hond wat?
Is dat Pup die praat?
Nee hoor.
Het is Pup die snurkt.

‘Oef…’ zucht Hond.
Hij zet de fles neer.
Hij gaapt zo wijd als hij kan.
Dan kruipt hij diep weg in zijn mand.
Je ziet zijn neus nog.
Meer niet.

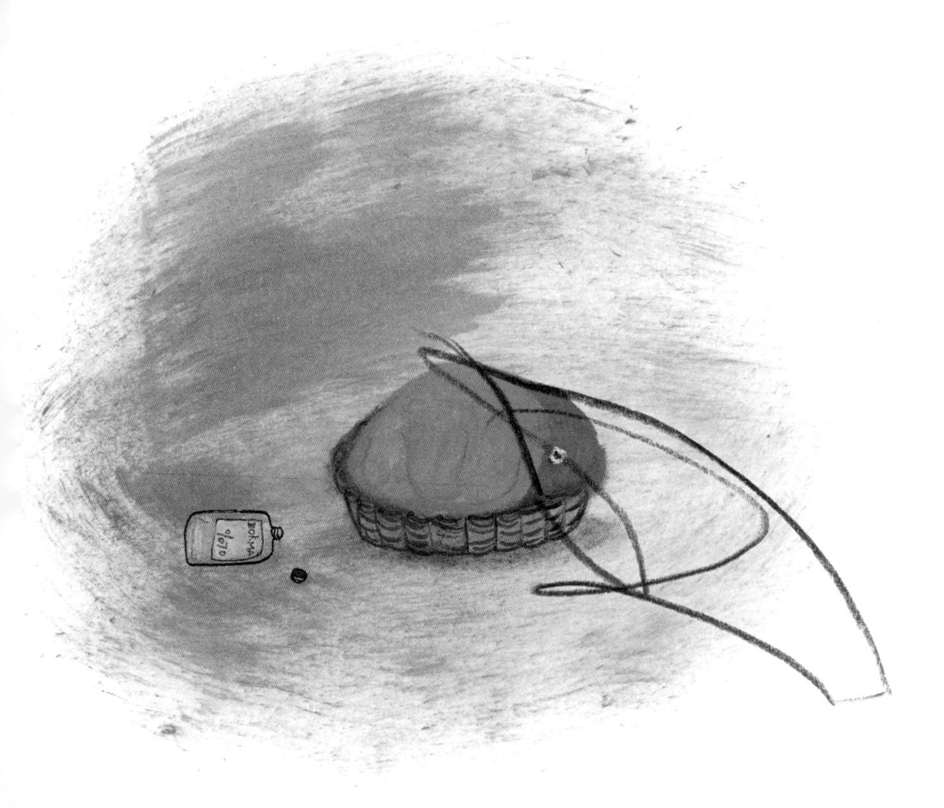

www.lannoo.com

Registreer u op onze website en we sturen u regelmatig een nieuwsbrief met informatie over nieuwe boeken en met interessante, exclusieve aanbiedingen.

Illustraties Marije Tolman
Grafische vormgeving Studio Lannoo

D/2012/45/245
NUR 282
ISBN 978 94 014 0191 3